Dae **ye** see

Ulster-Scots poems by

Wilson Burgess

First published by

The Ulster-Scots Agency

ISBN
978-0-9557916-0-4 (Soft Cover)
978-0-9557916-1-1 (Hard Cover)

Published by The Ulster-Scots Agency

Printed by WG Baird Ltd.

Dae ye see

Foreword

Wilson Burgess spent much of his youth listening to the men who gathered every evening at "Clarehill Diamon' " in the centre of Aghadowey, Co. Derry. There they gathered to relate their work-day experiences: the number of acres ploughed, stooks of flax pulled, stacks of corn built, or bottles of Guinness drunk; and to discuss such vital matters as who had left whom home from the dance; who was "worth o' watchin' "; where the water bailiffs were last seen; whether or not there was a "rise" in the Agivey; or "ga'in tae Derry wae the Apprentice Boys" - usually, the longest distance these men ever travelled.

Old and young, married and single, their recreation was throwing steel washers at a square painted on the road, tossing horse shoes, pitch and toss, Lodge meetings, pontoon, and the horse-racing section of the local newspaper. By listening to them, the youthful Burgess was unconsciously gathering material for the poems which appear in this collection, featuring characters such as Sammy Graham, who is affectionately and vividly portrayed in 'Burnquarter Wee Still' and in 'Robbie the Poacher'; and even Nancy - a local Muse and heart-breaker whose real name (like that of Dante's tormentor) was Beatrice, and who actually did turn poor Wilson down romantically but spurred him on, eventually, to the path of poetry.

By necessity, this Aghadowey wordsmith spent his working life away from his beloved home. However, the region and its citizens were deeply ingrained in him, and latterly have taken on (for him) something of a "sacramental character". After he had retired and taken a course at the University of Ulster, Wilson began to recognise, and increasingly appreciate, the true worth and potential of his own parish as a subject for poetry.

Having found his subject matter, the "what" he was going to write about, the next question was "how" to broach that material. It was then that the rich, colourful, vibrant and expressive voices and vocabulary that he heard in his youth, began to very naturally attach themselves to the things about which he was to write: subjects as diverse as "pullin' or scuthchin' lint", the strong-armed, delicate craft of ploughing, getting waylaid on fair-days, hard work faced head-on with humour, battles of the sexes and women's follies, local rivalries brought on with the arrival of the motor car, póitín / moonshine stills, Wullie Woodine, encounters with modern technology, and the worries and wonders of "oor worl' " from Moneybrannon to Mars.

Indeed, audience members who have heard Wilson read his poems at readings and / or in recordings, for example, on Radio Ulster have expressed to me that part of their enjoyment is based on what he writes about, including relatively unsung peole, places, and practices ('Sneddin' Turnips, for example, is a particular favourite). This homely bard seems, therefore, to be turning the spotlight on to some neglected corners, as have other twentieth-century Irish poets from Patrick Kavanagh to Gearóid Mac Lochlainn today. However, while Kavanagh's patch or parish was Monaghan (and Dublin), and Mac Lochlainn's - Belfast, Wilson takes his inspiration from Aghadowey and its denizens whose actions sing and accents ring true in (what he calls) his "vernacular verse".

This decision to write about "hamely" topics in the "hamely tongue" was both inspired and entirely natural. The combination of the down-to-earth subjects on which Wilson focuses, and his own country-cute style seems to have necessitated his recourse to the dialect, accent and terminology that this bard associates with the universal parish / parochial universe encompassing Kilrea, Burnquarter and the whole portion of Ulster that comes under his gaze. What must be noted, however, is that it is his careful and considered use of the natural speech of, for example, Ballymoney folk such as Joey Dunlop (an exemplar cited by the poet himself), that provides at least half of the pleasure that I and many others derive from reading and, especially, hearing his poems.

Certainly, neighbours of mine in Coleraine, who know of my interest in poetry, have independently expressed to me their sheer delight at hearing Radio Ulster broadcasts of Wilson's poems about rural pursuits, paraphernalia and personae that they had almost forgotten from their youth. Mostly, however, it was the words, the language of the poems that hooked these listeners. Hearing such poems provided the genuine and undeniable frisson that comes from hearing for the first time in verse or on air, words, phrases and expressions that one may hear (in this case, in Co. Londonderry) but which one rarely sees on the printed page: consider, for example, the effectively repeated refrain, "dae ye see? ", in the poem of that name; the instant tone and scene-setting of "dreech an' caul" in 'Sneddin' Turnips'; or the devastating put-down and knock-back of that "guid lookin' cutty" Nancy -

Sure you'r only a poor ferm labourer,
An' no' a very guid yin at that,
If we had tae live on yir earnins
We wid'nae grow very fat.
    ('Nancy')

Well might the bard Burgess ask "whars the sinse in gaen te Mars? / That's whit Ah want tae know", whenever all the thesaurus he needs is as near to hand as Ahoghill. Certainly, and gladly, neither he nor his characters or personae remain tongue-tied for long.

I welcome this book of unashamedly "vernacular verse" where the language often fits the subject matter as snugly and satisfyingly as a vernacular building suits its native glen.

At other times, the novel combination of the writer's Ulster Scots with more familiar or formal topics produces surprisingly fresh, and genuinely comic, effects:

Since Eve pulled a fast yin on Adam
An' plagued him tae ate frae the tree,
Poor man haes been hum'led bae weemin,
Frae thir hanlins haes nivir baen free.
   ('Weel Warned')

Above all, for its humour and humanity, I heartily recommend to the reading public this first collection from Wilson Burgess, and look forward to hearing and reading more from him in the future.

Dr Frank Sewell
Department of English
University of Ulster, Coleraine

Dae ye see

Preface

Writing in Ulster-Scots has recently experienced a long overdue
revival and has been warmly embraced by large numbers, across
the island of Ireland and beyond. The resurgence of writing in
the variety of Scots spoken in Northern Ireland and Donegal
has mirrored a growing realisation that a rich Ulster-Scots literary
tradition has existed in Ulster for centuries. The recognition of
this 400 year old tradition has clearly been an encouragement
to a new cluster of writers, who in their own way, are now
adding to the corpus of written work in Ulster-Scots.

However, this new collection of poems written by Wilson Burgess
is definitely not about the 'oul' days, it is very much a book of
poems about today and the people and the events with which
we are so familiar. His work is also amusing and happily thought
provoking, depicting readily identifiable aspects of city and
country life. It conjures up many of the nuances of today's
Ulster Scot, and includes reference to matters relating to sport,
technology, agriculture all of which have been so much a part
of the enduring Ulster-Scot tradition.

Wilson Burgess has produced over thirty new poems for this
volume, all written in a style that will be recognisable to those
who are familiar with Ulster Scots as well as to others who are
less so. This is due in part to his use of both Ulster-Scots and
English, a similar combination used by his predecessors from
the 18th century. It is indeed this accessibility to the language

that underpins much of the pleasure that readers will experience as they make their way from cover to cover.

For added pleasure, a companion CD is included that enhances what is not just a book of poems but more a view of life to day in Ulster, one that is both educational and enjoyably amusing. I am delighted that it has been written in a way that reflects a portion of the rich and varied cultural tradition that is a part of our society.

The Ulster-Scots Agency is delighted to have been able to support the publication of this first book of poems, written by Wilson Burgess.

Jim Millar
Director of Language and Education
Ulster-Scots Agency

Contents

Contents

Ulster-Scots poems by **Wilson Burgess**

Oor Davy - A Tribute

Whin yaes tak' aboot Bambrick, Blanchflower an' Best;
Coont in David Healy at the supporters behest,
Brocht up in Killyleah hae stuck at haes trade,
Sae whin United cum lukin', oor Davy wis made.

Frae United tae Prood Preston, Healy strutted haes stuff,
Hae scored goals bae the dizin, wae'd al'seen enuch.
Norn' Irelan' selectors wir on the scene,
They luked at yin anither. Is this man a dream?

They gaen him haes first kep an he led the line,
In the nixt fifty six nationals, hae lashed in quinty nine;
In Twa Thoosand an Four hae set aff fir Leeds,
An there hae performed mair mireculous deeds.

But it wis in internationals that he'd mak' haes name,
Fir the better wis he, the bigger the game;
England cum tae Windsor, an left in a stoon,
Becas' Healy hit a blarge, thit soon pit them doon.

The Spanish cum tae con'qer, but this cudnae dae,
A hat trick frae Davy sint them on thir way,
The tal' men frae Sweden wir nixt on the line,
Wae a wee flick an a half volley Healy left them tae pine.

Sae fir al' yae young weans thit hae gaithered the day,
Jist min' whit hae tells yae, fir this man can play,
Hae plays fairly an' squarely, haes a credit tae al',
Sae will toast Killyleagh's sinn, the King wi'the bal'.

Dae ye see?

Whin we were drappin' praties in the wee mossy fiel',
Yin or twa ithers an' me,
We wid sit on the heid rig an' blether
Aboot oor lot in this life-dae ye see?

We wirnae content becas we wir poor,
For it wiz rich we wanted tae be:
So Ah thoct Ah'd nivir get rich drappin' praties,
An Ah ax'ed for mae cairds-dae ye see?

Ah tuk tae the road an' Ah trevelled far,
Wae mony on the same erran' as me,
But the en'o mae rainbow sti'd oot o' my reach,
So Ah nivir got rich-dae ye see?

Noo efter mony years when Ah luk at maesel,
Ah can hardly belive that it's me,
For though Ah'm no'rich Ah luk happy enuch
Ah larnt a wee lesson-dae ye see?

Aye, Ah larnt tae bae happy on my wiy through life,
An' the sacret Ah'll gie ye al' free,
Be content wi' yer lot an' wi' what ye hae got,
An ye'll nivir be poor- dae ye see?

Sneddin turnips

It's a dreech an' caul November day
An' here Ah' am agaen,
Wat an caul an miserable,
Sneddin' turnips in the rain.

The taps ir jist lake fountains
The roots ir frozen tight,
Ah git a shooer o' clabber,
Ivery time Ah' gae a skite.

Mae han's is numb, mae feet is caul,
Its enugh tae mak'ye curse,
Frost an' rain the gether,
Naethin' cud bae worse.

The fermer said its only a shooer
Thon boy is hard tae thole,
Ah know they'd call mae lazy,
But Ah'd bae warmer on the dole.

They blow aboot scalin' mountin peaks
An the snow, an caul, an pain,
But naebody iver mentions
Sneddin turnips in the rain.

A days pullin

When a got tae the fiel in the mornin,
the lint wiz lyin an' wet,
A' viry soon got the coat aff,
for twenty stooks Ah had tae get
Before six o'clock in the evenin'
for that's the time we'd stap,
So Ah jist tuk time for a pull o' the pipe,
As Ah went for the ban's tae the slap.

Ah didnae lik the ithers tae bate mae,
So Ah pulled as hard as Ah cud.
Before we stapped for somethin' tae ate,
Ten stooks behin' me stud'.
Ah had a soda scone for dinner,
Washed doon wae a bottle o' tay.
That wiz al' Ah had time tae ate
Tae ca'ry me through the day.

Ah very soon got started agaen.
Aye, sure mae bak' wiz sore,
An' mae han' got cut an mae nails got broke
As through the lint Ah tore.
Six o' clock came roon at last,
An' a happy man wiz ay,
For tae mak me twenty stooks,
Ah had jist yin beat tae tie.

A days pullin

The fermer came oot tae see is
An' gaen mae beats some ould fashioned luk's.
Ah think he thocht they wir a wee bit wee,
So Ah toul' him Ah'd twenty stooks.
He says, "Ah'll gae ye yir money noo,
An at the same time Ah'll gae ye a hint,
Ah'm sure thirs ither jobs ye'd be better at,"
So Ah nivir agaen pulled lint.

© National Museums Northern Ireland, Ulster Folk & Transport Museum - WAG 1016

The lint scutcher

Nae man sings the praises
O' the mester o' an age owl trade;
Yit wi'oot haes skill an' knowledge,
Nae fine linen wud bae made.

Lik' a cloak the stoor covers im',
As a yokin' at the stock hae stan's
Buffin', teasin, an cleanin'
The lint wi' skilful han's.

Only an inch frae danger,
As roon the han'les fly;
Yit on hae works unflinchin',
Careful, sure, wi' a steady eye.

Automation haes noo owertuk him,
It wiz a bitter pill
It iver reached the man who scutches,
The star o' the owl lint mill.

© National Museums Northern Ireland, Ulster Folk & Transport Museum - WAG 1017

Yisterdays man

The air wiz free frae fumes o' oil
As he wak'ed oot tae haes daily toil,
Leadin' haes horses twa frienly bays,
The ploughman o' the yisterdays.

Hae yocked the horses tae the plough,
Quaitly axed thim tae, "C'mon noo",
An he followed thim aff thru' the morn'in haze,
The ploughman o' the yisterdays.

Hae did nae sit on a well sprung sate.
Frae mornin' tae nicht, hae wa'ked haes bate,
As thru the fiel haes trail he'd blaze,
The ploughman o' the yisterdays.

Hae han'led haes plough wi a masterful air,
Hae trated haes horses wi ten'er care,
Nivir luked fir fame or praise,
The ploughman o' the yisterdays.

Yisterdays man

Tho' o' haes cal'in he wis proud,
Noo ower him haes fal'in a cloud.
Haes loast haes battle wi' tractor forays,
The ploughman o' the yisterdays

Hae wiz a stalwart o' an age that's past,
Jist a mim'eray that fadin' fast.
Sae passes anither o' lifes relays,
The ploughman o' the yisterday

Kilrea fair

Wae mae ash plant unner mae oxter
Ah set oot for the big fair in Kilrea,
Ah wiz lukin for a young milkin' coo
It wiz a dreech an' coul' wunters day.

Ah had a luk roon the Diamon,
An there Ah met an oul' frien.
We wir coul' an' wanted a warmer,
So we went intae the first pub we seen.

Af coorse, there were some ithers in there-
In al' Ah think there wir ten,
Ah had the money for the coo in mae poket,-
Ah hadnae touched it tae then.

The roons come roon brave an aften...
Mae money begun tae grow wee,
We nivir knowed the time passin',
Tae somebody said "its gone a half three!"

We al' come oot feelin happy-
Ah'd forgot aboot the coo,
It come intae mae heid what Ah'd come for...
Ah had'nae en'ught tae pi' for it noo.

Kilrea fair

Wae mae ash plant unner mae oxter
Ah heeded off for hame,
Ah had the wife tae face up tae,
Ah wid hae tae tak' the blame.

Ah thocht Ah might tak' hir' aisy,
Maybe tell hir the money wiz stole,
Och man if she though Ah drunk it,
She wid be gie and hard tae thole.

Ah wid never hear the en' o' it
Frae noo tae Settlin day,
She wid alwis be castin up tae me,
Aboot the money Ah spent in Kilrea.

So Ah says tae maesel Ah'll stap drinkin'
Ah'll stert savin agaen for the coo,
Ah'll go and see the clargy,
An' tak' the pledge right noo.

For a while Ah think Ah cud stan' it-
At hame Ah'll hae tae stay,
But Ah'll be feelin quare an' dry,
The next time Ah go tae Kilrea.

The hiring fair

The last hirin' fair Ah went tae
Was held in oul' Coulrain',
A wheen o' miles from where Ah worked,
In a place called Killymain.
"Are yae styin on? 'a youg cutty aked,
As on the street we met.
"Naw a'hm no," Ah says, say aye,
"But he haes'nae aks me yit."

He's waitin for me tae aks him
If he's gaun tae keep me on,
But Ah'm no gaun tae bother-
Ah want away frae thon;
Broughan fir your breakfast,
An pratie fadge fir tay,
Ah would'nae stay in thon place,
Its nae use ava tae' mae.

Ah man go doon tae Lowrey's
An get maesel' some claes,
This oul' blue shuits a wee bit scuffed
Its seen mony' better days;
Then Ah'm heidin' oot tae Canada
Whaur there's guid py' they say for al,
So Ah man get a move on
An' get there afore the fal'.

The hiring fair

An dinnae know what the boss ill say
He'll be a wee bit mad,
But that's no guan tae bother me,
He'll hae tae fin anither lad;
Tae clean the byre, feed the pigs,
An' clear oot thon oul' drain;
Tae wheel the cramary can doon tae the road
An' bring it bak' again.

A' micht be able tae save a bit
Or sen' a wee bit hame,
But whether Ah finish up rich or poor,
Ah'l come bak' jist the same;
Tae en' mae days in Coulrain'
An wak' bi' the banks o' the Bann;
Whaur thir's time tae stap an' spin a yarn,
An' th' men still tak' laik men.

Weel warned

Since Eve pulled a fast yin on Adam
An' plagued him tae ate frae the tree,
Poor man haes baen hum'led bae weemin,
Frae thir hanlins haes nivir baen free.
Haes baen nagged, chimed at, an bullied,
An hen pecked doon thru' the years,
Tae noo haes jist a wrek' or a shada',
The hale thing wid drive yae tae tears.
Tae al' men Ah sen' oot this warnin,
'Stan Fast, howl whit yae hae got.
For if weemin come in ony farther,
Yae'll hae had it boys, that'll bae yir lot.
Sae git yaersels ready tae battle,
Let the offensiv' fal' til,
Al' men must bae in it the gether,
Wae want naebody sittin on the sill.
Fir wir fechtin' fir oor viry existins,
Fir al' that mak's life worthwile,
Dinnae lay ony chinks in yir arm'er;
Watch oot fir a tear or a smile.
Fir that is weemins best weppin,
They'll use it whiniver they ca'n;
Sae fecht agaen thim wi' vigour,
Au' show them thir mester is Man!"

Pre marital advice

The bridegrooms stanin' thaveless, as the bride glides up the aisle,
Draped in lace an' nylon, see hir smudge o' a smile,
Fir she haes him whir she wants him, in accordance wae hir plan,
She haes caught him, she haes got him, an noo hae is hir man!

In the years aheed he'll won'er jist why he iver wed,
Whit haes thinkin' in haes mind is better left unsaid,
As hae sits thir in haes prison, wae haes keeper on haes richt.
Won'erin if hae dare ask hir, "can A' go oot the nicht?"

Sae hae slowly larns the lesson, that haes freedom's gone fir iver,
Nae matter whit hae plans the chains he'll nivir sever,
An the truth o' whit he aften thocht, wis no jist a fairy tale,
That the female o' the species is mair cunnin' than the male.

Oot o' th' bottle

In hopeful expectation,
She bleached hir moosey hair.
Changed in tae a smashin blonde,
She ca'ses men tae stare;
As she weggles hir wi' alang the street,
Hir legs in seamless clad,
Hir shoart skirt, hir blondie hair,
Mak's men go slightly mad.

Afore she bleached, hir life wis dull,
Men did nae gie a luk.
Boys,noo she is delighted,
Wi' the ection that she tuk;
Bowldly wak'ed in tae a shap,
A bottle o' peroxide bocht,
Hir blondie heid his changed hir luk,
A man at last, shes cocht.

Boys shure the man is weel tain in,
Wae a female yince agaen,
Blint' bae hir womanly wiles,
Hir clever trick sae plain,
An' whin hae howls hir tae him
An whispers, "Bae mae bride",
She'll remember tae hir dyin day,
Hir debt tae the owl proxide.

Nancy

Man, Ah had a quare notion o' Nancy;
That wis a lang time ago;
Her hair wiz a sort o' ginger,
Her skin wiz as white as snow;
Aye she wiz a guid lookin' cutty;
Hir eyes Ah wid say they wir blue,
but when Ah ax'ed her tae merry,
She answered: "Ah widnae hae you."

"Sure you'r only a poor ferm labourer,
An' no' a very guid yin at that,
If we had tae live on yir earnins
We wid'nae grow very fat."
Ah left hir that night at the gable-
Ah nivir wanted to see hir agaen;
But Ah seen hir tak'in tae a boy on the Diamon,
Yin Setterday nicht in Coulrain.

Nancy

Through life we cerry some mem'ries
Some it is best tae forget;
At times, if Ah think aboot Nancy,
Ah wunner if she ivir met
A man tae keep her in comfort,
Wae a lock o' money in han',
Or maybe she merried a fermer-
She wid fancy a wee bit o' lan.'
As for maesel', och, well, Ah'm no bothered,
A' hae settled doon tae a bach'ler life:
A' can come an go when Ah want tae,
An' Ah'm getting too oul for a wife.

The Diamond, Coleraine

Poochin' Robby

Bush, Bann, Carnroe or Agivey,
It made nae odds tae him,
Robby wis ther', geff up haes sock,
Whinivir the salmon rin.

Hae nivir tak'ed aboot salmon,
Al'wiys cal'd thim fish;
Nearly i'very hoose in the toonlan'
Wid hae sampled Robbys dish.

Big Hughie Hunter the bailiff
Wis the bane o' Robby's life;
Turmoil on the river,
Naethin' but bother n' strife.

Hidein' in the bushes,
Tryin' tak ketch Robby oot,
For bailiff, coort, or magistrate
Robby did'nae gae a hoot.

Tae the coort in Bellymoney,
Robby mon'y a time wid goe,
He'd soon recoop the heavy fine
Bae geffin yin below Carnroe.

Radnorshire Museum - Salmon Poachers

A fishy dream

Ah wiz sittin on the bank o' the Agivey,
A days fishin aboot tae begin;
Whin a big wave o' water come oor mae,
An dae yae know, it pulled mae richt in.

A peddled aboot in the water,
Tae a feelin' towl mae sometin wiz near.
It wiz a big salmon, bowl as yae laik',
Askin, "Whit ir yae daen in here?

Dae'nt yae know the Agivey's fir me an mae laik
An eels an' pake an' troot,
Sae unless yir lukin fir bother,
Ah'm tellin' yae noo tae git oot."

A' made mae wi' tae the side,
Cowl, wet, an' feelin' half deed;
A' reached fir the ban'k an' missed it,
An' dae yae know a' fell oot o' the beed.

Oor Wullies car

Oor Wullies's bocht a motor car;
Yae nivir sa' the like;
But Ah'm quare'n gled he got it,
For he gaen me his oul' bike.

It's got a lok o' wee clocks an' switches
An' sates lake mae Da's ermchair,
An' when he drives it doon the road,
Th' neighbours stan' an' glare.

Af coorse they wir quarely tuk abak';
Noo the feelin's no' the same;
They hae' started cal'in'Wullie mister,
Instead o' bae haes name.

They hae got a notion we're stuck-up
But they are wrang bae far,
Though mae mither she's got very polite,
Since Wullie bocht the car.

She nivir sen's mae noo tae borra'
A taste o' shugar or tay
The ither Friday we rin oot,
An we wint withoot al' day.

Oor Wullies Car

She says: "Whativir wud the nighbours think?
We must hae a bit o'pride,
An' not go daein' think laik that
Noo we've a car ootside."

Noo iviry Sunday we go for a spin,
An' visit places near an' far;
Och, maybe we are a bit stuck-up
In oor Wullies's motor car.

Ahoghill

Yae hae niver baen tae Ahoghill?
Ah can tell you it's a great wee toon:
Ah wiz passin yin day in the summer
An Ah tuk a dan'er roon.

Its surrounded bae lovely country
Hills an valleys sae green
An' dae ye know, what Ah'm gauntae tell ye
It's the cleanest wee toon A'hae seen.

The folk there are generous an' frienly,
Ye'll be sure o' a guid cup o'tay.
Och, man they'll trate ye sae dacent
Ye'll be vexed when ye come away.

Their eccent is pure Coonty Entrim,
An' that's whit A' laik tae hear,
There's nane o' this la-di-da Inglish
That seems tae grate on the ear.

Some lik' the big toons and cities,
Whaur life is lived on the trot,
But A' lik' frien'liness, peace and quaitness
An' Ahoghill Al' say haes the lot.

For at the rate we're noo livin
That's what life seems tae la'k
In Ahoghill livins' a pleasure,
So Ah think, aye, Ah think, Ah'll be bak'.

Burnquarter wee still

Yaes caen drink at yir Powers till yir heid feels lik' mush,
Yaes caen trate yir best frien's tae a half o' Bla'k Bush,
But Ah'll gie yae somethin' tae mak' yir hearts thrill,
Jist try a guid gless o' Burnquarter Wee Still.

Yaes al' know Sammy Graham, a Moneydig man bae birth,
A man feart o' al' work on the face o' the earth,
A lik'able rogue, lived aboot Hunters Mill,
He cud tell whir its made, this Burnquarter Wee Still.

Awa doon in the moss bae the banks o' a stream,
Sam come on a still workin'. It wiznae a dream.
So aff he set sail, man, boys he wiz steamin',
Tae tell P.S.N.I. up in Bellamaina.

Efter a lang time at the barracks, big Sam finally got in,
Says he tae the polisman, "Unless yaes are blin',
Ah'll show yaes a place, in troch man Ah will,
Whir thir busy makin' stuff called Burnquarter Wee Still."

The polisman, suspicious, luked Sam up an' doon.
Says he, "It's the Eleventh nicht an' wae cannae lay the toon,
But efter a while, when they hae al' settled in,
Doon bae Burnquarter wae micht tak' a rin.".

Burnquarter wee still

Sae that Eleventh nicht tae naebodys surprise,
Three Land Rovers arrived, nae need o' disguise.
They searched ivery moss hole, peat st'ak an each drill,
But they could nae fin' the site o' Burnquarter Wee Still.

Cowl wet an' hungry they al' searched in vain,
Whin oot o' the dark an' the mist an the rain,
They he'ard a voice sayin' "Boys drink up yir fill"
Man that's a quare drap this Burnquarter Wee Still.

The polis were amazed at these words they did hear
Whin' a man thru' the murk an' the mist did appear,
Comin' doon bae the roddin' that leads frae the mill
Wae a load on haes bak' no unlik' a Wee Still.

The polis hunkered doon, thinkin this I'll be oor man
We'll throw him in the Land Rover this night if we ca'n,
The minute they waited did them naethin but ill,
Shure it wis big Sam himsel' but withoot the Wee Still.

Suspicious agaen they luked Sam up an' doon,
"Noo Sam, it wis for guid raisin' that we left the toon.
Wae know yae ca'n show is if yae jist hae the will,
An tell is whar its made this Burnqaurter Wee Still."

Burnquarter wee still

Big Sam at that minute seemed al' in a daze,
But he caught himsel on, an' his big han' he raised.
Says he, an he pointed tae Jek' Hunters mill,
"It's thar' you micht fin' it this Burnqaurter Wee Still."

It's years noo since Sam reached the en'o haes time.
The polis nivir proved hae had committed a crime.
So Ah'll drink tae big Sam, no a drap will Ah spill
Frae a guid level gless o' Burnquarter Wee Still.

© National Museums Northern Ireland, Ulster Folk & Transport Museum - WAG 1187

Epistle tae Wullie Woodbine

Dear Wullie yae hae baen a dacant man,
But noo we'll hae tae part;
Efter mony years o' frienship,
Ah'll lee yae wae a broken heart.

Yae hae been a steady solace
In troubled times n' strains an' strife;
Al'ways at han' tae gie mae comfort,
Mair faithful than a pilgrims life.

Whin mae nerves git hypertensed
Bae the chaffin' o mae yoke,
Yae wir al'ways in mae po'ket
Tae gie me a soothin' smoke.

The busy bo'dies hae foun' oot
That yir frienships bad fir me;
Noo they say that fir mae wil'fare,
Frae yir allure a man brek' free.

Wullie how ca'n Ah fir sake yae,
Must Ah turn mae heart tae stane?
Lay mae life lang frien' behin' mae,
Struggle on thru life on mae ain?

Whin mae thochts come ower al'cloudy,
An' the oul spirit begins tae lag,
What is left tae cheer mae up, Wullie?
Aye yir richt, Ah'll hae a fag.

Larnin' tae e-mail

Och Doreen, yir a smert yin,
A' maun gie yae that.
But whiniver yae ta'k aboot yahoo,
Ah'm no sure whit yir getting at.

Whit yae say's awa' abaen mae,
But this Ah unnerstan':
That larnin words lik' keps lock -,
Haes a big inflooans on a man.

Whin we hae worked an' the coorse is done;
An' yae hae nae mair need tae complain,
Ah'm no sure yae'll fin that Ah ca'n sen',
An E-Mail worth the name!

Internetitis

Whit haes the computer done tae me?
Changed mae life as yae ca'n see.
Shure noo A' hae nae a minit free,
Ah hae tae git on the Net.

Ah switch it on an' sit an' luk,
Nae time noo tae read a book.
A'll ither hobbies A' hae fur sook,
A' cannae wait tae git on the Net.

The oul digestions no that good,
A' al'wis hae tae bowlt mae food,
Man, that pits mae in a bad owl mood,
But Ah jist hae tae git on the Net.

The computer tells mae whit tae dae,
Push that, What this? Yir no half wise!
Shows mae girls wi' lovely eyes -
Boys thirs naethin tae bate the Net.

Tae brek its spell a' maun bae bowl,
Nivir agaen let it git a howl.
A'l disconnect an' hae it sowl
An fir'get a'l aboot the Net.

The schule fir lotto

Wir oor schule days happy?
Som' yins think they wir.
Whin Ah wiz young an' gaen tae schule,
The folk thocht Ah hadnae a care
But A' min' A' al'wiz walked
Tae schule in fear an' dreed,
Tryin' quare an' hard tae keep
Som' larnin in mae heed.
Man, the owl arithmetic had mae stumped,
Grammar struck mae dumb,
Wi geography A' al'wiz got loast,
Algebra, mae brain wint numb,
Tae tell yae the truth Ah wiznae smert,
Sae then Ah cud'nae learn;
A' gledly finished up the schule,
An sterted oot tae earn a
Livin' in this silly worl';
An though Ah'm no too bricht,
A' al'wiz managed jist eneuch
Tae keep me in the ficht.
Noo ivery week A' study,
Mair carefully than at schule;
Workin' oot al' the figures,
Tryin tae scoop the pool.
Noo if a' hae a bit o luck,
An bae chance wid win the Pot'o,
A'l open a schule fir schullars,
Studyin' fir the Lotto.

Oor worl'

Och! Shure this worl' is in a state,
The folk ir' goin' daft;
Thir burstin' bombs al' oor the place,
Thir brains they maun bae saft.
Oul Bin Laden sits an' spits at George
Lik'a Tam ca't on a wal';
He swears he'll wipe him aff' th' earth -
Haes hae got nae sense a' tal?

Sae George hae ans'ers, "Nane o' yir lip
Ah want nae cheek frae yae.
If yae stert ony' nonsense
Yae'll see whit Ah caan dae."
Shure they'd mine yae o' a pair o' wains
Argyin aboot a toy,
Instead o' men thit hae th' power
The hale worl' tae destroy.

Yae'd think they'd hae a bit o' sense
An' shake each ithers han',
An gie th' worl' a bit o' peace,
The wish o' ivery man;
So mi'bae we shud say a prayer
That they wul' see th' licht,
An saen they'll larn the les' on
That hummelness is micht.

Global warmin'

Noo we are promished global warmin'
Tae set the worl' aflame.
Shud this calamity come tae pass,
We'ed al' hae tae tak' the blame.

Fir we hae misused Mother Natur's gifts,
We hae laid bare hir store,
O' sacrets she kept fir millions o' years,
We kept lukin' fir more an' more.

But human natur' bein' perverse,
As it haes bin doon the years,
Uses the knowledge gained, no for peaceful ends.
But fir new weepons, new wars, new fear.

Why dae wae go on in the same oul wiy?
Withoot a ray o' hope in view,
Hopin' oor human natur's tak' a change,
Dae yae know thats me an you?

Sae work an' plan fir a peaceful worl'
In frien'ship exten the han'
Tae oor fellowmen whiriver thir frae,
An pit commonsense in command.

Ga'en tae Mars

Dae yae know whit Ah'm gaun tae tell yae?
Ah wiz readin' th' ither day
That they're thinkin' o' senin' a man tae Mars,
An' he'll trevel al' the way
In yin o' them contraptions
That's fired frae a stan'.
It seems a wile lang wye tae go
Dae yae think he'll ivir lan'?

He'll sit bae himsel' in a wee steel box,
Wae an oxygen mask on haes face:
Screengin thru' the air fir miles
Tae a place cal'd ooter space;
An' what'll hae dae whin hae arrives
Git oot an' luk aroon?
Dae yae think he'll see iz awa doon here?
He'll bae dizzy lukin' doon.

Is' lang is they dinnae sen' me up
They caen sen' up wha they like,
This new fang'led trevellin's no fir me
Ah feel safer on mae oul bike;
A rin tae the toon on a Setterday nicht,
That's is far as Ah want tae go,
Whars the sinse in gaen tae Mars?
That's whit Ah want tae know.

An Ulster man

He niver left his hamely hame,
Only wak'ed tae the en' o' the lane.
He nivir suffered frae itchy feet,
Never strolled doon a foreign street.
He nivir sah the fish that fly,
Nivir luk'ed at a tropical sky.
He nivir the sands o' the desert trod,
Nivir loast his faith in God.
He is jist a son o' the soil,
Ern'in' his breed bi' honest toil.
He will nivir be her'd takin' loud,
Yit he's contented, happy, proud.
O' haes place in the world we live,
He tae his fre'nds will al'wis give.
If thir' in need o' a helpin han,'
Haes typical o' mony' frae oor fairlan'.

An Ulster Scots eccent

Tae hear an' Ulster Scots eccent whin frae hame yir far away,
Sets yir heart a flutter an brichens up yir day;
It micht bae on a London bus or on an' aeroplane,
It disnae viry much metter, yll' bae car'ied bak' agaen
Amang yir friens an' nighbours tae the place whir yae wir bo'rn,
Tae a country o' green gressy fiels, nate hedges, wavin' co'rn.

Tae hear someboady say, "Yir wilcome, is'nt that a quare owl day?
Pull up yir cheer tae the table noo, an' hae a drap o' tay".
It haes a lilt that's al' its ain, thit a forin'er cannae voice;
Whin yae hear it in anither lan', it mak's yir heart rejoice;
Falin' on yir senses lik' a shooer o' Ulster rain
Addin' urgency tae the wish, that yae wir hame agaen.

The Ullans engineer

Hae lik's tae sit an' tak aboot the places hae haes been.
Wae a smile hae wil recal' some vivid foreign scene,
Hae taks' o' places he haes seen, an rivers he haes spanned,
Whin bridges he wiz buildin', in a far aff foreign lan';

Aboot the gangs wae whom hae worked, thirs tales tae tell,
Folk o' mony colours who al'wiz served him well,
Tae them hae wiz the mester - at them he'd nivir sneer,
They alwiz' had respect fir him, the Ullans Engineer.

Wi a model he will show yae, some difficulty met,
Tell in simple language how a bridge wiz set;
Sayin "This is a cantilever, an the cran' its oor here."
He'd lik tae build anither bridge, the Ullans Engineer.

Noo he lives haes life lukin' bak' wards. O the past hae can bae proud.
Whin takin' aboot haes work hae disnae tak' lang or loud;
Haes legacy tae posterity span rivers far an' near
Paytin' tributes tae the genius o' the Ullans Engineer.

Ulstermen

They've focht in mony countries wae al' thir Ulster guile,
Frae the dreary plains o' Flanders tae Egypt on the Nile.
Proddysins an' Cathlics shooder tae shooder stud,
Brithers in erms the gether, as al guid Ulstermen shud.

They focht wi' Tim Collins in Iraq, merched tae owl Kabul;
Focht mony hard owl battles, so that despots did nae rule.
Thir graves ir bae the Khyber, that oul rocky sundrenched lan',
Whir Proddysins an' Cathlics met death han' in han'.

In thir Ulster hamelan' they fecht a dif'rent battle,
Blid comes rushin' tae thir heids whin they hear the owl drums rattle;
Sae iv'ry man, accordin' tae haes Faith, goes doon haes chosen way;
Britherly love forgotten, whin the bands' begin tae play.

Some shout aboot King Billy an' o' the Maiden City.
They cannie firget that Cromwell cum, noo boys that is a pity,
They al' shud throw thir chips aside, an work fir Ulsters good,
Brithers in peace united, as al' guid Ulstermen shud.

Spring feelin'

The days are gettin' langer,
Spring is in the air,
The wife is gettin' fidgety,
She'll no settle in hir chair,
So Ah' sit apprehensive,
Forebodin', filled wae gloom,
For Ah can hear her ax'in,
"When will ye start that room?

Last Spring ye said ye'd dae it;
Then yir bak' wiz sore;
Efter that yae niver mentioned it;
But it shuda baen done afore.
Mae mither come at Christmas,
Shae thocht is wiz a disgrace;
Tae ax' hir fir tae sleep in it,
Ah hardly had the face.

Ye know the walls are fallin,
The ceilin's turnin' broon;
Ah think we'll buy the paper,
The nixt time we go tae the toon,
Maybe we'll go on Setterday,
Yae'll hae naethin' else tae dae;
Ah think ye toul mae yisterday
Bellamaina wiz playin' away'.

Spring feelin'

Sae Ah'll be scrapin', washin', paperin,
Mae erms will ache wi' pain,
Ah'll hardly hae a minute's peace
Tae wunter comes agaen,
Whin Ah caan sit an' doze in comfort,
In mae oul' ermchair;
Sae tae mae mony fellow-sufferers
Ah'll jist say "Dinnae' despair."

The wunter tim'

Aye sure Ah' laik the wuntertim'
Whan Ah' git hame at nicht.
Ah can sit an' doze in comfort
Wae the fire burnin' bricht.
Sum' yins laik the summer
But the summer's no for me,
Gae me the lang dark evenins'
For then yae cannae see
The jobs yae shud bae daein',
The jobs yae shud' hae done',
Fir in the summer evenins'
Its these yae cannae shun'.
Noo the summer time is luv'ly
Ah'll no argue wae yae there,
Let the sun laikers' hae it
Aah laik sittin in mae chair
Jist readin' smokin' dozin'
Wi' the kettle on the boil,
Fir thanks tae wunters darkness
Ah'm free frae evenin 'toil.

Bother

Dinnae worry twa much aboot bother,
It'll pass ower an' yae'll still survive.
Gra'te it wae yir best smile o' wilcome
Bae gled that yir still alive.
Fir the bother yae think is big
Seems bigger if yae hae rin awae',
But dries up, clears aff, lik' a mirage
If yae hae the will power tae stae.
Grate it an meet it wae nae fear,
D'ale wi it richt on the spot;
Shure mony's the time yae wil wun'ner,
Why at times, in tae a tizzy yae got.
Fir this is a worl' full o' bother,
Yi'll meet it whiriver yae go;
Jist try tae bae happy an' cheerful,
It hits harder whin spirits ir' low.